**L'ALBUM
DU FILM**

FRANCE-AMERIQUE

Album du film « Le retour du Jedi »
(scénario de Lawrence Kasdan et George Lucas
d'après l'ouvrage de George Lucas),
adaptation de Joan D. Vinge,
traduit de l'américain par Philippe Rouard.

Copyright © 1983 Lucasfilm Ltd. (LFL). All rights reserved under International and Pan-American Copyright Conventions. Published in the United States by Random House, Inc., New York, and simultaneously in Canada by Random House of Canada Limited, Toronto.

TM Trademarks of LFL used by Librairie Hachette under authorization for the following titles: Movie storybook – Star wars book of masks – Ewoks join the fight – Four activity books.

© 1983 Lucasfilm Ltd. (LFL). All rights reserved. TM Trademarks of LFL used by Librairie Hachette under authorization.

Published by arrangement with the Random House.

© France-Amérique, 1983 pour l'édition française au Canada.

Distribué par France-Amérique, 170, Benjamin Hudon, Montréal (Québec), H4N 1H8 Tél.: (514) 331-8507

ISBN: 2-89001-193-3

Yan Solo
Capitaine du Falcon

Luke Skywalder
Commandant de l'Alliance Rebelle,
Chevalier Jedi

Princesse Leia
Chef de l'Alliance Rebelle

Wicket
Un Ewok de la forêt d'Endor

Lando Calrissian
Chef de Nuage City,
Général rebelle

Jabba le Hut
Chef cruel de Tatouine

D Deux-R
Deux Robot-ordinateur intelligent

Sixpeo
Grand robot androïde

Dark Vader
Maître des forces impériales

Chewbacca
Copilote du Falcon

Yoda
Maître Jedi, qui enseigne à Luke
les voies de la Force

Jadis, dans une très lointaine galaxie, les chefs de l'Alliance Rebelle poursuivaient leur lutte contre le maléfique Empire Galactique. Les Rebelles avaient lutté pendant longtemps contre l'Empire et son cruel monarque. Ils n'étaient qu'une poignée, mais ils ne désespéraient pas de redonner la liberté à tous les mondes que l'Empire opprimait.

Menés par Luke Skywalker, un pilote téméraire, ils avaient réussi à détruire *L'Étoile de Mort,* le vaisseau de guerre le plus redoutable de tout l'Empire, capable à lui seul d'anéantir des planètes entières. Mais depuis cette victoire, les Rebelles n'avaient connu aucun répit. La flotte impériale les avait pourchassés de cachette en cachette. À présent, ils comptaient unir leurs forces avant de lancer une nouvelle contre-attaque victorieuse qui redonnerait vie à la Rébellion.

Alors qu'ils se réunissaient en secret, les Rebelles ignoraient que l'Empereur projetait leur extermination. Il avait ordonné la construction d'une nouvelle *Étoile de Mort,* encore plus puissante que la première. Une fois que le vaisseau serait opérationnel, les forces impériales pourraient définitivement écraser la Rébellion.

Un destroyer impérial approchait de la gigantesque superstructure de *L'Étoile de Mort.* Dark Vader, le Lord Noir de Sith, venait s'assurer de la bonne marche des travaux. Il monta à bord d'une navette, qui fila vers l'immense chantier.

Le commandant de *L'Étoile de Mort,* Moff Jerjerrod, était un homme fort et sûr de lui. Pourtant la venue du Lord Noir le remplissait de crainte. Vêtu d'une grande cape noire, le visage dissimulé sous un heaume de métal sombre, Dark Vader avançait dans la salle silencieuse où se répercutait son souffle rauque et mécanique.

Sa réputation était aussi terrible que son aspect physique. L'Empereur excepté, il contrôlait mieux que quiconque la face noire de la Force. D'un seul regard, il pouvait tuer un homme. D'un seul mot, il pouvait faire accomplir à ses sujets tout ce qu'il voulait. Personne ne pouvait lui résister.

Jerjerrod savait que Vader venait s'assurer que *L'Étoile de Mort* serait achevée à temps. Il savait également de quel prix le Lord Noir faisait payer l'échec. «Lord Vader, dit-il, mes hommes ne peuvent pas travailler plus vite. L'Empereur demande l'impossible. »

Derrière le masque sombre, une voix siffla : «Vous le lui expliquerez vous-même quand il viendra. »

Jerjerrod tressaillit. «L'Empereur va venir ?»

Vader hocha la tête. «Et il sera certainement chagriné de constater votre retard.

– Nous redoublerons nos efforts !

– Je l'espère, commandant, dit Vader, je l'espère… pour vous. L'Empereur ne souffrira pas que l'on retarde davantage la destruction finale des Rebelles. »

En un autre lieu de la Galaxie, les deux androïdes D Deux-R Deux et Sixpeo cheminaient tristement le long d'une route désolée de la planète désertique Tatouine. Luke Skywalker avait envoyé les deux robots à la cour du cruel bandit Jabba le Hut, qui retenait prisonnier son ami Yan Solo. Le rebelle Lando Calrissian avait déjà tenté de secourir Yan, mais il n'était jamais revenu.

Les deux androïdes songeaient à lui tandis qu'ils approchaient de la grille massive du palais de Jabba.

«Chewbacca aurait tout de même pu délivrer ce message à notre place ! se plaignit Sixpeo. Ah ! on se moque bien de ce qui peut arriver à des androïdes ! Je me demande parfois pourquoi nous supportons tout cela ! »

Le lieutenant de Jabba, Bib Fortuna, les accueillit à l'entrée et les conduisit jusqu'à la salle du trône. L'assemblée de courtisans qui les regardaient avancer était véritablement terrifiante. Mais la vision la plus terrible de toutes était encore Jabba lui-même, un atroce et répugnant tas de graisse. L'ar-

chibrigand éclata d'un rire démoniaque à la vue des deux ambassadeurs apeurés. Il leur ordonna d'approcher.

D Deux émit un léger sifflement et projeta l'hologramme de Luke. L'image de trois mètres de haut se matérialisa devant Jabba et une voix dit : «Je suis Luke Skywalker, chevalier Jedi et ami du capitaine Solo. J'ai l'intention de rencontrer Votre Grandeur afin de négocier sa libération. Comme gage de ma bonne volonté, je vous fais présent de ces deux androïdes.» Sur ces paroles, l'image disparut.

«Oh, non! s'écria Sixpeo. Ce n'est pas vrai!» Tant de cruauté de la part de Luke lui semblait inconcevable. Mais Jabba se contenta de rire de nouveau. «Il n'y aura aucune négociation, déclara-t-il. Je n'ai pas l'intention de me défaire de mon bibelot favori.» Il eut un regard vers l'un des murs de la salle. Là, dans une niche, se tenait Yan Solo, congelé dans la capsule remplie de carbone où Dark Vader l'avait emprisonné. «Par contre, ces androïdes pourront toujours servir.»

Sixpeo était un robot-traducteur. Jabba savait qu'il avait été programmé pour

parler six millions de langues différentes.
Aussi le contraignit-il à se tenir près de son
trône et à lui servir d'interprète. Sixpeo
resta donc au palais, malheureux d'être sé-
paré de son compagnon, D Deux, que Jabba
avait envoyé au loin pour servir sur sa
grande barge à voile.

« Que peut-il nous arriver de pire ? » se
demandait une fois de plus le pauvre
Sixpeo, quand il vit soudain un spectacle
qui répondait à sa question. Bib venait de
pénétrer dans la salle du trône, accompagné d'un chasseur de primes à l'allure
étrange, et le captif qu'il tirait derrière lui
n'était autre que Chewbacca le Wookie, le
copilote de Yan Solo !

« Mes respects, Majesté, dit le chasseur.
Je m'appelle Boushh, et je veux cinquante
mille dollars pour le Wookie. »

Jabba éclata d'un rire tonitruant et répondit dans sa propre langue.

« Vingt-cinq, c'est tout ce qu'il paiera…
traduisit Sixpeo d'une voix tendue… plus
votre vie. »

Boushh se figea. Puis, calmement, il
plongea la main sous son manteau et en
sortit une petite boule d'argent. L'objet
émettait un étrange bourdonnement. Le
chasseur de primes s'adressa à Sixpeo :
«Dis à Jabba qu'il lui faudra faire un effort, sinon on ramassera sa carcasse puante
à la petite cuiller. J'ai là, dans ma main,
une bombe thermique. »

– Oh, ciel !» s'écria Sixpeo, et il s'em-
pressa de traduire les paroles du chasseur.

Jabba contemplait la boule d'argent. Elle
commençait à briller d'un éclat dangereux.
Les courtisans retenaient leur souffle. Finalement Jabba gloussa doucement. «Ce
chasseur de primes est une plaisante crapule ! Dis-lui trente-cinq, pas plus. »

Boushh fit signe qu'il acceptait et coupa
le détonateur thermique. Un grand soupir
de soulagement parcourut la foule des
courtisans.

«Joignez-vous donc à nos libations, lui
proposa Jabba. J'aurai peut-être un autre
travail pour vous. »

Boushh acquiesça sèchement de la tête,
tandis que Bobba Fett, le chasseur qui avait
capturé Yan Solo, lui jetait un regard furieux. Et les gardes de Jabba entraînèrent
Chewbacca hors de la pièce, pour l'enfer-
mer dans un cachot.

Tard cette nuit-là, Boushh se glissa furti-
vement dans la salle du trône. Il passa, tel

une ombre, parmi les courtisans plongés dans le sommeil de l'ivresse et se dirigea vers le mur où se trouvait Yan Solo. Le chasseur de primes souleva la capsule où reposait Yan et la posa sans heurt sur le sol.

Puis, avec précaution, il actionna le levier de décarbonisation. La dure matière qui emprisonnait le corps de Yan se dissipa lentement. Yan fut bientôt libre, mais il ne manifesta aucun signe de vie. Boushh l'observa intensément jusqu'au moment où Yan rouvrit brusquement les yeux et se mit à tousser.

«Doucement, chuchota Boushh. Restez calme et détendez-vous.

– Je n'y vois plus rien! gémit Yan. Que m'arrive-t-il?» Il vacilla sur ses jambes.

«Vous venez à peine de sortir du carbone et vous avez des troubles de décongélation.»

D'une main, Boushh le maintint en équilibre. «Ne vous inquiétez pas, votre vue va revenir. Venez maintenant, il faut faire vite.»

Yan s'agrippa au chasseur et palpa le casque qui lui couvrait le visage. «Je n'irai nulle part. Et d'ailleurs, qui êtes-vous?»

Le chasseur de primes ôta son casque : apparut le beau visage de la princesse Leia. Elle se hissa sur la pointe des pieds pour embrasser tendrement Yan. «Quelqu'un qui vous aime.

– Leia! s'écria Yan. Où sommes-nous ?

– Dans le palais de Jabba. Il faut que je vous sorte d'ici le plus vite possible.» Elle lui prit la main.

«Ma vision est toute troublée… je ne vais pas vous être d'un grand secours», dit Yan.

Le cœur de Leia se serra. Ce qu'elle avait toujours aimé en Yan, c'était cette façon qu'il avait de se moquer du danger. Et le voir ainsi, presque aveugle et sans défense, avivait encore davantage l'amour qu'elle lui portait. «Nous y arriverons», dit-elle avec douceur.

Un bruit soudain les fit tressaillir. Leia se retourna vivement et se raidit en voyant Jabba et sa cour de monstres, qui les avaient observés, dissimulés derrière un rideau. «Qu'est-ce que c'est ?» demanda Yan. Il entendit alors le rire de Jabba. «Je connais ce rire, lâcha-t-il d'un ton amer.

– Quel spectacle touchant !» ricana Jabba.

Yan attira Leia contre lui. «Ecoutez, Jabba. J'étais en route pour vous régler ma dette quand j'ai eu un petit empêchement. Nous avons eu quelques différends dans le passé, mais je suis sûr que nous finirons par nous entendre…

– Il est trop tard, Solo. Vous auriez pu être le meilleur des contrebandiers, mais vous ne valez plus rien à présent.» Jabba fit un signe à ses gardes. «Emmenez-le. Je

choisirai plus tard la meilleure façon de l'exécuter. »

Yan et Leia tentèrent en vain de résister aux gardes. « Je vous paierai le triple ! cria Yan. Jabba, vous renoncez à une petite fortune. Ne soyez pas idiot. » Mais il fut entraîné de force hors de la salle.

Un garde se saisit de Leia pour l'emmener à son tour. Elle ne trahit aucune émotion en le reconnaissant. C'était Lando Calrissian.

« Attends ! cria soudain Jabba. Amène-la-moi. »

Leia et Lando se figèrent. Lando coula un regard inquiet vers Leia. « Tout ira bien », murmura-t-elle.

Lando jeta un coup d'œil vers Jabba. «Je n'en suis pas sûr», répondit-il tout bas. Mais ils ne pouvaient rien tenter pour le moment.

Alors que Yan était jeté dans sa cellule, il entendit un grognement sonore. Il promena son regard aveugle autour de lui puis sentit des mains puissantes qui le saisissaient et le relevaient dans un rugissement joyeux.

«Chewie, c'est toi? demanda Yan, incrédule. Mais que se passe-t-il ici, à la fin?» La dernière chose qu'il se rappelait était d'avoir été capturé avec Leia par Dark Vader, à Nuage City, sur la planète Bespine. Il avait alors été persuadé que sa dernière heure était arrivée et qu'il avait perdu Leia pour toujours.

Le grand Wookie lui apprit que Lando et Luke avaient projeté de le libérer des griffes de Jabba.

«Lando et Luke?» D'abord Leia et Chewie, et maintenant Lando et Luke! Tous risquaient donc leur vie pour le sauver? Un instant Yan demeura interdit. Durant toute sa carrière de contrebandier, le seul en qui il ait eu une confiance totale avait été Chewbacca – parce que Chewie n'était pas humain. Yan n'avait jamais péché par un excès de foi envers les hommes, à l'exception de lui-même. Aussi était-il stupéfait d'apprendre que non seulement il avait des amis, mais que ceux-ci n'hésitaient pas à risquer leur vie pour le sauver. Il pouvait donc se féliciter d'avoir apporté son aide à l'Alliance Rebelle. Mais c'était là une chose qu'il ne reconnaîtrait jamais. Sinon, qu'adviendrait-il de sa réputation? «Est-ce que Luke est devenu fou? dit-il. Pourquoi l'as-tu écouté? Ce gosse n'est même pas capable de prendre soin de lui-même.»

Chewie aboya une réponse.

«Luke, un chevalier Jedi?» Yan n'y croyait pas. Il savait que Luke était un garçon courageux et un incomparable pilote. Mais les chevaliers Jedi possédaient des pouvoirs mystérieux, issus de la Force. «Et voilà! Il suffit que je m'absente un peu, pour que vous vous mettiez tous à délirer!»

Chewie grogna, affirmant que c'était vrai.

« Je le croirai quand je le verrai. » Yan eut un pauvre sourire.

« Si je puis me permettre l'expression. »

Luke Skywalker venait de pénétrer dans le palais de Jabba, vêtu de sa robe de chevalier Jedi. Les gardes se jetèrent en travers de son chemin, mais Luke n'eut qu'à lever la main pour qu'ils se mettent à suffoquer. Ils ne retrouvèrent leur souffle que sur un nouveau signe de sa part.

Luke était devenu un Jedi. Yoda, le Maître Jedi, lui avait appris comment utiliser la Force. Il pouvait ainsi – d'un seul signe de la main – faire ce qu'il voulait des gardes de Jabba – même de Bib Fortuna qui se tenait maintenant devant lui.

Luke plongea ses yeux bleus dans ceux de Bib. « Conduis-moi auprès de Jabba ! ordonna-t-il.

– Je te conduirai auprès de Jabba », répéta Bib, pétrifié.

Jabba rugit de colère quand il vit ce que Luke venait d'accomplir. « Tes pouvoirs sont sans effet sur moi, petit », gronda-t-il. Et c'était vrai.

Mais Luke restait confiant. Il regarda Leia, enchaînée au trône du brigand, et elle lui fit un signe de la tête. «Je vais emmener avec moi le capitaine Solo et ses amis, dit Luke, et je vous conseille de ne pas douter de mes pouvoirs.

– Vous n'emmènerez personne avec vous, jeune Jedi, aboya Jabba, et je prendrai plaisir à vous voir périr.» Il pressa un bouton secret. Le sol s'effaça sous les pieds de Luke, le précipitant dans un vaste puits.

Un Rancor, une bête monstrueuse aux dents acérées, attendait au fond. La foule des courtisans s'agglutina au bord de la fosse pour voir le monstre se jeter sur Luke. Luke bondit en l'air pour éviter la charge et il s'accrocha à la grille qui avait refermé le puits après sa chute. Mais les courtisans lui martelèrent les doigts jusqu'à ce qu'il lâchât prise et retombât. Il atterrit sur l'œil du Rancor qui poussa un rugissement de douleur. Luke sauta à terre. Il s'empara d'un gros os alors que le Rancor le saisissait dans ses griffes et l'attirait vers sa gueule ouverte. D'un geste vif, Luke coinça l'os entre les mâchoires béantes, se dégagea de la bête et s'élança vers une porte métallique aménagée dans la paroi de la fosse. Le Rancor parvint à se débarrasser de l'os et courut après Luke. D'un effort surhumain Luke ouvrit la porte, mais elle donnait sur une autre grille. À l'extérieur, se tenaient des gardes. Luke était pris au piège. Il ramassa un crâne sur le sol et le projeta contre le panneau de contrôle juste au moment où le Rancor surgissait derrière lui. La lourde porte de métal s'abattit sur le monstre, lui broyant la tête. Luke était sauvé – pour le moment.

Là-haut, dans la salle du trône, Jabba poussa un cri de rage. «Faites sortir de là le Jedi! ordonna-t-il à ses gardes. Et amenez-moi Solo et le Wookie. Ils paieront cher cet affront!»

Luke, Yan et Chewbacca, entourés de gardes sur un petit canot, contemplaient l'océan infini des dunes de sable. Jabba les avait condamnés à être jetés dans la grande fosse de Carkoon, où vivait un Sarlacc, une créature monstrueuse qui les dévorerait vivants. L'énorme barge flottante de Jabba les suivait de près.

«Tiens, ma vue s'améliore, dit Yan d'un ton ironique. Au lieu d'un voile noir, j'ai maintenant un voile brillant devant les yeux.

– Tu ne rates rien, répliqua Luke. Je connais cette région. C'est là que j'ai grandi.» Il n'était alors qu'un jeune paysan épris d'aventures et qui rêvait déjà de rejoindre la Rébellion. Puis son oncle et sa tante avaient été tués par les Sections d'Assaut impériales, et leur ferme rasée. Quant à son père… Luke n'avait jamais imaginé qu'il devrait traverser tant d'épreuves avant de revoir le désert de Tatouine.

«Et c'est là aussi que nous allons mourir, reprit Yan.

– Cela n'a jamais été dans mes intentions, dit Luke d'une voix étrangement calme. Le palais de Jabba était trop bien gardé, et il fallait d'abord t'en faire sortir avant de passer à l'action. Ne t'inquiète pas, reste auprès de Chewie et de Lando, nous nous occuperons de tout.»

Lando se tenait près de Chewbacca, jouant toujours son rôle de garde.

«Il me tarde en effet qu'on passe à l'action», dit Yan d'une voix peu enthousiaste.

Luke leva la tête vers la grande barge où Jabba trônait comme un sultan, et chercha Leia du regard. Si son plan échouait, ses amis périraient avec lui, et la Rébellion perdrait quelques-uns de ses meilleurs chefs. Mais ils avaient tous voulu l'aider à sauver Yan. *Les amis doivent s'entraider,* pensait-il tandis que le canot se rapprochait du gouffre au fond duquel les attendait le

Sarlacc. *C'est ce que nous enseigne la Force*.

Depuis le vaisseau antigravitationnel de Jabba, Leia, Sixpeo et D Deux suivaient d'un regard inquiet l'embarcation qui transportait leurs amis. Ils pouvaient distinguer au fond du trou l'énorme gueule visqueuse du Sarlacc s'entrouvrir d'impatience. Quand le canot parvint au-dessus de la fosse, les gardes poussèrent Luke sur une planche. Les courtisans coururent se pencher à la lisse pour ne rien perdre du spectacle.

Luke adressa un signe d'adieu à ses amis. D Deux, qui n'attendait que ce signal, lui jeta son sabre-laser – un sabre que Luke avait forgé lui-même et dissimulé à l'intérieur de D Deux. Luke, se servant de

la planche comme d'un tremplin, utilisant toutes ses ressources de Jedi, sauta très haut en l'air et exécuta un saut périlleux arrière, pour retomber au milieu du canot en même temps qu'il se saisissait de son sabre. Il l'actionna aussitôt et attaqua les gardes médusés, pendant que Lando s'empressait de libérer Yan et Chewie de leurs liens.

Furieux, Jabba ordonna à ses mercenaires de faire feu sur l'embarcation. Leia se précipita alors sur lui et lui passa autour du cou la chaîne qui la retenait prisonnière. Avant que Jabba n'ait pu l'en empêcher, elle se laissa tomber du trône en tirant de toutes ses forces sur la chaîne. Les yeux du bandit se révulsèrent et sa langue visqueuse jaillit de sa bouche tandis que Leia l'étran-

glait. Sa queue frappa le pont une ultime fois, puis il rendit le dernier soupir. Leia entreprit alors de se libérer de ses liens.

Le chasseur de primes Bobba Fett, qui se trouvait à bord de la barge, utilisa son lance-roquettes pour projeter un filin métallique qui s'enroula autour de Luke. Celui-ci se libéra d'un coup de sabre-laser, et Bobba Fett tomba à la renverse. Un obus tiré depuis la barge toucha alors le canot, blessant Chewbacca. Sous la secousse, Lando passa par-dessus le bordage et parvint in extremis à s'accrocher au bord de la fosse. Il appela à l'aide. Yan et Chewbacca s'élancèrent à son secours, tandis que Luke, d'un bond de Jedi, sautait sur la grande barge.

Chewbacca, blessé, ne pouvait que guider Yan de la voix. Yan réussit à s'emparer d'une lance au moment même où Bobba Fett se redressait. Il lança à l'aveuglette son arme sur le chasseur et le manqua, mais il toucha sa cartouchière de roquettes. Celles-ci prirent feu, projetant le chasseur dans les airs. Son corps heurta le flanc de la barge, avant de tomber dans le gouffre et la gueule béante du Sarlacc.

«Ah! Quel dommage d'avoir raté ce spectacle!» s'exclama Yan avec regret. Un deuxième obus toucha le canot, et le choc, cette fois, projeta Yan par-dessus bord. Mais sa bonne étoile ne l'abandonna pas : il se prit le pied dans la lisse et resta suspendu dans le vide, juste au-dessus de Lando. «Lando! cria-t-il. Donne-moi ta main!»

Une troisième salve toucha au but, déséquilibrant Chewbacca qui, malgré sa blessure, tentait de secourir Yan, qui lui-même tentait de secourir Lando. Mais chaque fois que Lando essayait de lui attraper la main, il glissait davantage dans la fosse. Le Sarlacc lança un de ses tentacules autour de sa jambe et commença de l'attirer vers sa gueule.

Pendant ce temps, Luke, sur la barge, s'attaquait aux gardes de Jabba. D Deux venait de libérer Leia de ses chaînes, mais alors que la princesse et le robot traversaient le pont, ils virent l'une des créatures de Jabba attaquer Sixpeo. D Deux envoya une décharge de laser sur le monstre qui s'enfuit en hurlant.

Luke fondit sur les canonniers juste au moment où ceux-ci ajustaient leur tir sur Lando, Yan et Chewbacca. L'un d'eux déchargea son arme contre lui, et le coup lui arracha son sabre. Mais Leia s'était emparée d'un autre canon et en dirigeait le feu contre les gardes. Luke profita de la diversion pour récupérer son sabre et éliminer

les derniers résistants. «Leia! cria-t-il. Pointe le canon sur le pont! Détruis la barge!» Entendant son ordre, Sixpeo et D Deux s'empressèrent de sauter par-dessus bord sur le sable.

Yan et Chewbacca s'efforçaient encore de sauver Lando. Yan pointa un pistolet-laser en direction du tentacule qui retenait le malheureux.

«Attends! cria Lando. C'est pas le moment de tirer à l'aveuglette!

– Fais-moi confiance.» Yan tira. Il avait dû recouvrer la vue car son tir fut parfait. Lando était libre! Ses amis le hissèrent à bord, alors que Luke et Leia sautaient dans le canot. La grande barge était à présent secouée d'explosions. À l'aide d'un aimant, les amis arrachèrent les deux androïdes au sable, et ils lancèrent l'embarcation à travers le désert.

Une tempête de sable se leva alors qu'ils approchaient du lieu où Luke et les autres avaient dissimulé leurs vaisseaux spatiaux. Ils abandonnèrent leur véhicule et poursuivirent leur chemin à pied, luttant contre le

vent qui les cinglait. Ils atteignirent enfin le *Millennium Falcon* et le chasseur de combat de Luke. Ils se tinrent un moment sous la rampe d'embarquement du *Falcon,* le temps de se dire adieu, avant de se séparer de nouveau.

«Je te remercie d'être venu me chercher, Luke», dit Yan. Il avait encore du mal à croire que Luke et les autres eussent risqué leur vie pour le secourir.

Luke lui sourit avec chaleur. «Ce n'est rien, n'y pense plus. »

Yan secoua la tête. «Non, au contraire, j'y pense beaucoup. Cette capsule de carbone n'était qu'un cercueil après tout. Et maintenant que j'ai ressuscité... eh bien, il n'y a pas que mes yeux qui voient les choses différemment, ami. »

Luke sentit que Yan avait changé, et il comprit que tout ce que lui et ses compagnons avaient risqué n'avait pas été peine perdue. *«Solo veut dire seul »*, pensa-t-il. Il s'était souvent demandé quel était le vrai nom de Yan. Yan avait probablement choisi ce surnom, parce qu'il le définissait mieux que tout autre. Mais à présent Yan savait qu'il n'était plus seul. Et Luke n'ignorait pas combien cela était important. «Je vous reverrai tous à la base, dit Luke. Pour le moment j'ai à tenir une promesse faite à un vieil ami. »

Leia l'étreignit affectueusement. «Reviens vite. Toutes les forces de l'Alliance doivent être déjà réunies à cette heure.

– Je ne serai pas long», dit Luke. Il grimpa avec D Deux à bord du chasseur et

décolla aussitôt. Les autres montèrent dans le *Millennium Falcon*. Yan tapota familièrement la rampe du vaisseau. «Tu as belle allure, vieux complice. Je ne croyais plus que j'aurais le plaisir de te revoir, tu sais.»

Le *Millennium Falcon* s'envola à son tour dans l'espace.

Quelque part dans la Galaxie, les troupes impériales massées sur l'aire d'embarquement de *L'Étoile de Mort* saluaient l'arrivée de l'Empereur. Même Dark Vader s'agenouilla quand la sinistre silhouette passa devant lui. L'Empereur lui commanda de se relever.

«*L'Étoile de Mort* sera prête à temps, mon maître, dit Vader.

– C'est bien, acquiesça l'Empereur. Je sais que vous avez hâte de repartir à la poursuite du jeune Skywalker. Soyez patient. Laissez-le venir à vous… et alors vous me l'amènerez. Seuls nos efforts conjugués l'inciteront à se ranger du côté de l'Ombre.

– Oui, mon maître.

– Tout se passe comme je l'avais prévu.» L'Empereur eut un rire glacé, tandis qu'il embrassait du regard l'alignement de ses troupes.

D Deux attendait d'un air maussade près de la retraite de Yoda dans les marécages de Dagobah. Luke était venu rendre visite au Maître Jedi qui l'avait éduqué.

Luke était encore plus triste que D Deux tandis qu'il contemplait son maître. Bien que Yoda parût heureux de le revoir, Luke voyait que le vieux Maître Jedi était devenu plus faible et plus fragile.

« Quelle mine tu fais ! dit Yoda. Ai-je donc l'air si usé aux yeux de la jeunesse ?

– Non, Maître, mentit Luke. Bien sûr que non. »

Yoda eut un petit rire. « Bien sûr que si. Allons ! Je suis vieux et las. » Il pointa un doigt tout déformé vers Luke. « Quand tu auras atteint neuf cents ans, tu n'auras pas meilleure allure. » Il gagna son lit. « Bientôt, je me reposerai pour toujours, et je l'aurai bien mérité.

– Maître, vous ne mourrez pas », dit Luke. Il mesurait à présent toute l'affection qu'il portait au vieux Maître. « Je ne veux pas…

– Tu as la Force en toi… et pourtant tu n'es pas encore vraiment fort ! » Yoda s'allongea.

« Mais j'ai besoin de vous pour achever mon enseignement. » Luke avait quitté Dagobah contre l'avis de Yoda. Il n'était pas encore un servant accompli de Jedi, qu'il avait eu la vision de ses amis Leia et Yan captifs de Dark Vader. Se lancer à leur secours lui avait paru alors plus important que tout.

« Tu n'as plus besoin d'enseignement, dit Yoda.

– Suis-je donc un Jedi ? » demanda Luke, étonné. Yoda ne l'avait-il pas averti qu'il n'avait pas complètement maîtrisé la Force ?

Yoda secoua la tête. « Pas encore. Il reste Vader. C'est lui que tu dois affronter de nouveau. Et tu l'affronteras tôt ou tard. Alors seulement, tu seras un Jedi. »

Luke pâlit et demeura un long moment silencieux. Finalement, il demanda d'une voix hésitante : « Maître Yoda… est-ce que Dark Vader est mon père ? »

Yoda eut un sourire triste, lointain. Luke attendait sa réponse en retenant son souffle.

Yoda lui répondit enfin : « Oui, Vader est ton père. »

Luke tressaillit comme sous l'effet d'un coup.

« Il te l'a dit, n'est-ce pas ? » demanda Yoda.

Luke hocha la tête. Lorsqu'il avait affronté Dark Vader pour sauver ses amis, le Lord Noir lui avait affirmé qu'il était son fils. Luke s'était refusé à le croire, persuadé qu'il s'agissait d'un piège ou d'un mensonge.

Yoda ferma les yeux. « Oui, c'est une vérité bien douloureuse. Et maintenant, je crains que tu ne portes en toi une grande faiblesse. » Yoda savait que Luke douterait désormais de lui-même chaque fois qu'il penserait à son père. Luke savait que son père avait choisi le côté de l'Ombre. Si son père n'avait pu résister à la tentation du Mal, comment le pourrait-il, lui ?

« Maître Yoda, je regrette de vous avoir désobéi. Je n'aurais pas dû quitter Dagobah avant d'être prêt.

— Je sais, mais tu devras affronter Vader, et les regrets ne te serviront à rien. » Yoda se redressa sur son lit et lui fit signe de s'approcher. « Luke... prends garde à l'Empereur, sinon tu subiras le même sort que ton père. Quand je serai parti... tu seras le dernier Jedi. » Il se laissa retomber sur le lit. « Adieu, Luke. Va, maintenant. Ben Kenobi complétera ton apprentissage. »

Luke s'en revint lentement vers son appareil. Il s'assit sur une souche, la tête entre ses mains. Il n'avait jamais ressenti une telle confusion. « Je n'y arriverai pas, D Deux. Je n'y arriverai pas tout seul. »

La voix d'Obi-Wan Kenobi retentit soudain au-dessus de lui. « Yoda et moi, nous resterons toujours à ton côté. » Luke leva la tête. Le spectre de Ben se dressait devant lui. L'image semblait si réelle qu'il était tenté de tendre la main vers elle. Mais Ben Kenobi, le premier Maître de Luke, avait quitté ce monde. Il n'était plus désormais que l'impalpable messager de la Force.

« Ben ! s'écria Luke. Pourquoi ne m'avez-vous pas dit la vérité ? »

Ben secoua la tête. « Je te l'aurais dite, une fois ton enseignement achevé. Mais tu as choisi de partir avant. Yoda et moi, nous t'avons pourtant mis en garde contre ton impatience.

— Vous m'avez dit que Dark Vader avait tué mon père, lança Luke d'un ton de reproche.

— Ton père, Anakin, fut attiré par le côté de l'Ombre et devint Dark Vader, dit Ben d'une voix douce. Alors, l'homme bon qu'il était disparut à jamais. Ce que je t'ai dit était vrai... en quelque sorte.

– En quelque sorte! s'exclama Luke avec colère.

– Luke, tu découvriras que bien des vérités auxquelles nous nous accrochons ne sont souvent que des reflets de nos propres idées.» Luke ne répondit pas. Ben considéra le visage douloureux du jeune Jedi, puis il reprit de sa voix douce. «Je ne te reproche pas ta colère. J'ai peut-être eu tort, et ce n'est pas la première fois, car, vois-tu, ce qui est arrivé à ton père est ma faute… d'une certaine façon.»

Luke eut un mouvement de surprise et attendit impatiemment que Ben poursuivît.

«Quand j'ai rencontré ton père pour la première fois, dit Ben, c'était un pilote extraordinaire, et la Force était avec lui. J'ai essayé alors de lui enseigner les voies du Jedi. Je croyais que je pourrais faire un aussi bon maître que Yoda. Je me trompais. L'Empereur sut le séduire et l'attirer du côté de l'Ombre.» Ben Kenobi se tut un instant et soupira. «Mon erreur eut de terribles conséquences pour toute la Galaxie.

– Il y a peut-être encore de la bonté en lui, dit Luke, qui se refusait à penser que son père ne pût être sauvé.

– Je l'ai cru moi aussi, dit Ben. Mais il n'a plus rien d'humain à présent. Il n'est plus qu'une sorte de machine au service du Mal.

– Faut-il donc que je tue mon propre père!» s'écria Luke en serrant les poings de désespoir. Il baissa les yeux sur sa main artificielle, se rappelant soudain comment son père lui avait tranché la main, lors du combat à mort qui les avait opposés. Comment pourrait-il jamais aimer ce père qui voulait le tuer?

«Alors l'Empereur t'a déjà vaincu, et le Mal triomphera du Bien, dit Ben avec tristesse. Tu étais notre seul espoir. Yoda croyait qu'il y en avait un autre, mais il est trop tard à présent.»

Luke se sentait accablé par la fatalité. Il respirait avec difficulté. Le devoir qu'il lui fallait accomplir le mettait au supplice. «Je n'ai donc pas d'autre choix que de tuer mon père!»

Ben hocha la tête. «Tu ne peux échapper à ton destin. Oui, tu devras de nouveau affronter Vader.»

Comme Luke levait la tête vers lui, Ben eut pour le jeune Jedi un regard d'une profonde compassion.

L'immense flotte des Rebelles stationnait, immobile dans l'espace. Sur le plus grand de ses vaisseaux, la frégate amirale,

se trouvaient réunis tous les chefs de la Rébellion. Sous la présidence de Mon Mothma, la noble et belle femme qui dirigeait l'Alliance, ils préparaient leur plan d'attaque contre l'Empire.

Le général Lando Calrissian retrouva enfin Yan Solo et Chewbacca, en compagnie de Leia et des deux androïdes. Lando devait conduire la flotte rebelle à la bataille qu'elle livrerait contre *L'Étoile de Mort*.

«Je m'étonne que ce ne soit pas à toi qu'on ait confié cette tâche, dit Lando à Yan.

– Ils me l'ont proposé, répliqua Yan, mais je ne suis pas fou. Et puis tu as bien meilleure réputation que moi, n'est-ce pas?»

Leia prit le bras de Yan d'un geste protecteur. «Yan restera avec moi sur le vaisseau amiral. Nous sommes tous très fiers de toi, Lando.»

Mon Mothma réclama le silence dans la salle. «L'Empereur a commis une faute grave, annonça-t-elle. Et le temps est venu pour nous d'attaquer.» Elle apprit aux commandants que l'Alliance avait réussi à

localiser *L'Étoile de Mort*, encore inachevée, et que celle-ci était mal protégée. Ils avaient également appris que l'Empereur lui-même se trouvait à bord. S'ils attaquaient maintenant, les Rebelles avaient une chance de capturer ou de tuer le tyran ! Un murmure animé parcourut l'assistance.

L'amiral Ackbar s'avança au côté de Mon Mothma. Il désigna du doigt la représentation holographique de *L'Étoile de Mort*, qui venait d'apparaître au-dessus d'eux ! « Bien que *L'Étoile de Mort* ne soit pas terminée, expliqua-t-il, elle est protégée par un bouclier énergétique alimenté depuis la toute proche Lune d'Endor. Aucun vaisseau ne peut traverser le champ protecteur ; aucune arme n'a d'effet sur lui. Ce bouclier doit être détruit avant toute attaque. Nos chasseurs pourront alors pénétrer dans la superstructure pour frapper le centre vital de *L'Étoile de Mort*, j'ai nommé le réacteur principal, situé quelque part par là. » Il montra la cible de son doigt.

Un grave murmure d'approbation s'éleva de l'audience.

« Nous avons mis la main sur un petit vaisseau impérial, continua l'amiral. Sous ce couvert, un commando se rendra sur Endor avec mission de détruire le générateur. Le bunker qui abrite la salle des commandes est gardé, mais une petite équipe devrait pouvoir en approcher et neutraliser les forces de sécurité. »

« Je me demande qui ils ont choisi pour cette mission », murmura Leia. La tâche de couper le champ énergétique lui semblait plus dangereuse encore que d'attaquer *L'Étoile de Mort* elle-même.

« Général Solo, appela l'amiral, votre commando est-il prêt ? »

Leia tourna vers Yan un regard médusé, mais aussi admiratif. Solo l'aventurier avait beaucoup changé depuis Tatouine. Mais elle n'aurait jamais supposé qu'il se proposât pour une mission qui relevait plus du sacrifice que de toute autre chose.

« Mes hommes sont prêts, dit Yan, mais j'ai besoin d'un équipage pour mon vaisseau. » Chewbacca et Leia se portèrent aussitôt volontaires. Luke, qui revenait à l'instant de Dagobah, se joignit à eux, tandis que D Deux et Sixpeo venaient compléter l'équipe. D Deux émit une série de bip-bip enthousiastes à l'intention de Sixpeo.

« Je me demande s'il y a de quoi sauter au plafond », remarqua Sixpeo d'un ton soucieux.

Leia serra Luke dans ses bras, heureuse de le voir de retour. Toutefois elle sentit que quelque chose avait changé en lui.

« Luke, que s'est-il passé ? demanda-t-elle.

– Rien, répondit-il. Je te le dirai un jour. » Il baissa la tête, fuyant son regard. Il ne pouvait confier à personne, pas même à Leia, son terrible secret : Luke Skywalker était le fils de Dark Vader !

Un peu plus tard, ce même jour, Lando gagna l'aire d'atterrissage de la frégate pour souhaiter bonne chance à ses amis. Yan lui offrit d'utiliser le *Millennium Falcon* pour sa mission contre *L'Étoile de*

Mort. « Je suis sérieux, insista-t-il devant l'air incrédule de Lando. Prends mon vaisseau ! D'ailleurs, il t'a appartenu dans le temps et il te portera bonheur. Et puis, c'est l'unité la plus rapide de toute la flotte rebelle, ajouta-t-il avec une franche fierté.

– Merci, vieille canaille », dit Lando avec un sourire ému. Il n'ignorait pas combien Yan tenait à son vaisseau. Il savait aussi que le *Falcon* était un engin sans égal. L'offre de Yan lui causait une grande émotion. « J'en prendrai soin comme de moi-même. Je te promets de le ramener sans une seule éraflure. »

Yan sourit à son vieil ami. Jadis ils avaient été rivaux, mais à présent des liens profonds les unissaient : ils s'étaient réciproquement sauvé la vie et ils combattaient pour la même cause. « D'accord, j'ai ta parole, dit-il. Pas une éraflure... ni sur lui, ni sur toi. »

Lando éclata de rire. « Allez, file, vieux pirate. » Sur ce, il s'éloigna afin que Yan ne vît pas combien il était ému.

« A bientôt, ami. » Yan lui fit un signe de la main et grimpa dans la navette prise à l'ennemi, qui les conduirait jusqu'à Endor. Il s'assit aux commandes à côté de Chewbacca, son copilote de toujours.

« O.K., Chewie, dit-il. Voyons un peu ce que ce bébé a dans le ventre. »

Les moteurs vrombirent. La navette impériale s'éleva de l'aire d'atterrissage, ses ailes s'abaissèrent, et elle fusa comme un jet de lumière dans la nuit.

Yan et son équipage sortirent de l'hyperespace dans un éclair. Au-dessous d'eux, ils pouvaient voir la gigantesque *Étoile de Mort*. Un peu plus loin, Lune d'Endor la verte flottait dans l'espace. Alors qu'ils se dirigeaient vers celle-ci, les forces impériales les laissèrent passer le bouclier protecteur sans même leur demander leur identité.

« Qu'est-ce que je vous avais dit ! s'exclama Yan. Il n'y avait pas de quoi s'affoler. » Leur stratagème fonctionnait, du moins le croyaient-ils. Ils ignoraient que Dark Vader lui-même leur facilitait l'accès à Endor, parce qu'il savait que Luke était à bord. Luke qui venait vers lui, ainsi que l'Empereur l'avait prévu. L'Empereur contrôlait mieux que personne les forces de l'ombre. Il pouvait deviner le moindre mouvement des Rebelles, et il leur avait tendu un piège mortel.

La navette impériale se posa dans une clairière forestière parmi les arbres géants

d'Endor. Les Rebelles se turent quand ils descendirent du vaisseau et levèrent la tête vers les arbres. Ceux-ci s'élevaient si haut qu'ils se perdaient dans l'obscurité, et leur âge était si grand qu'il forçait à l'humilité les simples mortels qui les contemplaient. Seul Sixpeo était indifférent à leur beauté majestueuse. «Moi, je trouve que c'est laid, dit-il à D Deux. Avec notre chance habituelle, c'est sûrement rempli de monstres dévoreurs d'androïdes.»

Yan entraîna le commando rebelle en direction du bunker qui abritait le générateur du bouclier. Ils n'avaient pas fait cent mètres qu'ils repérèrent devant eux une patrouille d'éclaireurs impériaux montés sur des motos.

Yan ne prit pas la peine de se concerter avec ses amis. Il passa aussitôt à l'attaque, obligeant les autres à le suivre. Luke et Leia enfourchèrent une moto abandonnée par l'ennemi et se lancèrent à la poursuite des deux fuyards. Si ceux-ci parvenaient à alerter le bunker, leur mission serait vouée à l'échec.

Après une courte poursuite dans les bois, Luke et Leia rattrapèrent l'éclaireur impérial. Luke le jeta à bas de sa machine et s'empara de celle-ci. Ils avaient à présent chacun une moto et ils prirent en chasse le deuxième éclaireur. Mais soudain deux autres Impériaux débouchèrent du couvert pour les attaquer.

«Continue de poursuivre l'autre! cria Luke à Leia. Je me charge de ces deux-là!»

Luke écrasa la pédale des freins. Les deux éclaireurs, surpris par sa manœuvre,

poursuivirent sur leur lancée. Luke foudroya l'un avec le canon-laser de sa moto, mais l'autre accéléra, forçant Luke à lui donner la chasse.

Pendant ce temps, Leia filait à grande vitesse et gagnait du terrain sur le fuyard. Mais celui-ci se retourna et, d'un coup de pistolet-laser, parvint à toucher sa moto. Il vit Leia sauter de sa machine avant qu'elle n'explose, mais il ne vit pas le tronc d'arbre contre lequel il s'écrasa un dixième de seconde plus tard.

Luke rattrapa le dernier éclaireur. L'homme projeta sa moto contre celle de Luke et les deux machines poursuivirent leur route, soudées l'une à l'autre. Soudain, un tronc d'arbre énorme se dressa devant eux et Luke, jugeant qu'il ne pourrait l'éviter, sauta de sa machine. Son adversaire frôla l'obstacle et revint vers lui en faisant feu de son canon-laser. Luke actionna son sabre et dévia les coups. L'éclaireur jeta sa machine contre lui, mais Luke, s'écartant au dernier moment, trancha au passage le guidon d'un coup de sabre, et le motard alla s'écraser contre un arbre.

Quand Luke retrouva Yan et le commando rebelle, il s'inquiéta vivement de l'absence de Leia. Il entreprit aussitôt des

recherches avec l'aide de Yan, Chewie, Sixpeo et D Deux.

Pendant ce temps, quelque part dans la forêt, Leia retrouvait lentement ses esprits. Elle ouvrit les yeux et vit une étrange petite créature au visage laineux qui la regardait de ses grands yeux marron. Leia se redressa en gémissant. La créature recula d'un bond en levant son javelot. Il s'appelait Wicket, et c'était un Ewok. Les Ewoks vivaient sur Endor. Ils redoutaient les humains car les troupes impériales avaient massacré grand nombre d'entre eux.

«Hé, je ne vous veux pas de mal», dit Leia. Elle secoua la tête pour s'éveiller tout à fait et se remit debout. «Ma foi, j'ai bien fait de sauter», dit-elle à voix haute, en voyant la carcasse calcinée de sa moto. «Vous n'auriez pas un moyen de commu-nication, par hasard?» demanda-t-elle à Wicket avec un sourire triste.

La créature se mit à la suivre comme un jeune chien, apparemment plus curieuse qu'effrayée.

Leia entendit alors une branche craquer dans le sous-bois. Wicket se cacha derrière une souche, tandis que Leia se retournait pour voir un éclaireur impérial sortir du couvert, son fusil pointé sur elle. Il s'em-para du pistolet de Leia, mais soudain Wicket bondit hors de sa cachette et frappa l'éclaireur à la jambe d'un coup de javelot. Dans la mêlée qui s'ensuivit, Leia réussit à reprendre son arme et à foudroyer son adversaire.

Wicket leva vers Leia un regard admira-tif. Il lui prit la main et la conduisit à tra-vers bois vers son village.

Peu de temps après, Yan et les autres parvinrent à la clairière que Leia venait de quitter. Ils virent bien la moto – ou plutôt ce qu'il en restait – et cherchèrent en vain Leia. Mais le Wookie, de son odorat aiguisé, releva une trace, et il les entraîna à sa suite dans la forêt.

Toutefois, la piste ne les mena pas à Leia, mais à des morceaux de viande suspendus à un piquet !

«Bravo, Chewie! grogna Yan. Tu ne penses jamais qu'à ton estomac!» La disparition de Leia l'inquiétait beaucoup plus qu'il ne voulait l'admettre.

Le Wookie tendit la main vers un morceau de viande. Luke cria : «Non, attends!»

Trop tard! Chewie avait déclenché le mécanisme du piège, et ils se retrouvèrent tous suspendus dans un filet. D Deux trancha rapidement les mailles d'un coup de tenailles, et ils se laissèrent choir à terre. Quand ils se relevèrent, une multitude d'Ewoks les encerclaient, brandissant leurs javelots. Toute résistance était inutile.

Les Ewoks s'emparèrent de leurs armes. Wicket, qui était là, s'abstint d'intervenir. Il ne savait si ces hommes-là étaient des amis de Leia, ou des ennemis de son peuple.

Mais quand les Ewoks aperçurent Sixpeo, ils poussèrent des exclamations de surprise et se lancèrent dans de bruyantes palabres. Sixpeo, qui connaissait toutes les langues de la Galaxie, s'adressa à eux dans leur dialecte. Au son de sa voix, les Ewoks

lâchèrent leurs armes et se prosternèrent devant lui en chantant des litanies.

«Que leur as-tu dit?» demanda Yan, stupéfait.

Sixpeo avait l'air des plus perplexes. «Je peux me tromper... mais je crois qu'ils me prennent pour une sorte de dieu.

– Eh bien, si c'est le cas, ordonne-leur de nous relâcher, dit Yan avec impatience.

– Ce ne serait pas correct, capitaine Solo, répondit Sixpeo. Il n'est pas dans ma programmation de prétendre que je suis un dieu.»

L'air menaçant, Yan s'avança vers Sixpeo, mais les Ewoks l'immobilisèrent de leurs javelots. Ils attachèrent ensuite tous leurs captifs – sauf Sixpeo – à de longues perches, et se mirent en route vers

leur village. Sixpeo, lui, trônait comme un roi sur une litière de branchages.

Quand ils atteignirent leur village au cœur de la forêt, les Ewoks se consultèrent pour décider du sort des prisonniers. Chirpa, le chef, et Logray, le sorcier, voulaient rôtir Yan pour le dîner. Leia qui était arrivée dans le village avec Wicket, essaya

de les en dissuader, mais ils refusèrent de l'écouter.

«Luke, que pouvons-nous faire? demanda Leia, désespérée.

– Sixpeo, lança Luke, dis-leur que s'ils ne nous libèrent pas, tu te mettras en colère et tu les puniras de ta magie.

– Quelle magie, Maître Luke? demanda

l'androïde d'une voix craintive. Je n'ai pas…

– Fais ce que je te dis !» ordonna Luke.

Sixpeo répéta les paroles de Luke. Les Ewoks lui répondirent en secouant la tête d'un air incrédule. Alors la litière sur laquelle reposait Sixpeo s'éleva au-dessus du sol et se mit à tournoyer sur elle-même. «Au secours ! D Deux, aide-moi !» cria Sixpeo.

Effrayés, les Ewoks s'empressèrent de libérer leurs captifs, et Leia les rejoignit. Continuant d'utiliser la Force pour contrôler la litière, Luke ramena le pauvre Sixpeo sur le sol.

« Merci, Sixpeo », dit-il en souriant.

Tout tremblant, Sixpeo bredouilla : « Je… je… ne me connaissais pas un tel pouvoir. »

Ce soir-là, les Ewoks se rassemblèrent dans la grande hutte du Conseil pour écou-ter Luke et ses amis leur expliquer leur mission sur Endor. Sixpeo raconta aux petites créatures tout le mal que faisait l'Empereur. Il leur parla aussi de l'Alliance Rebelle qui luttait pour libérer les peuples de la terreur impériale. Quand il eut fini, Wicket prit la parole, pressant son peuple d'aider les Rebelles. Le chef Chirpa et les anciens manifestèrent leur approbation. Ils seraient heureux de voir les cruelles troupes impériales disparaître de leur monde. Et ce fut au milieu des battements des tambours et des acclamations que les Ewoks firent des Rebelles les membres d'honneur de leur tribu. Le lendemain, dès que le jour se lèverait, ils les guideraient par le plus court chemin jusqu'au bunker.

Leia vit Luke quitter la fête qui battait son plein, et elle le suivit hors de la hutte. « Qu'est-ce qui ne va pas ? » demanda-t-elle. Elle sentait que quelque chose le troublait depuis qu'il était revenu de Dagobah. Elle chercha son regard dans l'ombre, réalisant combien il lui était devenu cher, plus cher qu'elle ne voulait se l'avouer. Elle aimait Yan, parce que Yan incarnait tout ce qu'elle n'avait jamais osé être, libre et insouciante. Cependant, elle ne pouvait s'empêcher d'aimer Luke, avec qui elle se trouvait de nombreuses affinités.

Luke baissa les yeux sur la main qu'elle venait de lui prendre. C'était sa main artificielle. « Leia, te souviens-tu de ta mère ? » demanda-t-il.

Surprise, elle répondit : « Oui. Un peu. Elle est morte quand j'étais très jeune.

– Et que te rappelles-tu ?

– Je n'ai gardé que quelques impressions, quelques images. »

Leia secoua la tête.

« Dis-moi.

– Elle était très belle. Douce, aimable… mais triste. »

Le souvenir du sourire de sa mère, de son contact, lui serrait le cœur. Elle venait de perdre sa mère, quand les troupes impériales avaient surgi et tué son père, toute sa famille, tous ses amis. Dark Vader et *L'Étoile de Mort* avaient détruit tout ce qui avait été son monde. Elle ne pourrait jamais, jamais oublier. « Pourquoi me demandes-tu cela ? » dit-elle.

Luke libéra sa main et s'écarta d'elle. «Je n'ai aucun souvenir de la mienne. Je ne l'ai jamais connue.»

La tristesse de sa voix ramena Leia au présent. «Luke, demanda-t-elle de nouveau, explique-moi ce qui te trouble.»

Il prit une profonde inspiration. «Vader est ici sur cette planète», répondit-il.

Leia se raidit. «Comment le sais-tu? murmura-t-elle.

– Je le sens. Il est venu à ma rencontre. Lui aussi a senti ma présence». Luke se tourna vers Leia, vit l'inquiétude et le tourment sur son visage. «Je dois partir annonça-t-il, sinon notre mission risque d'échouer.» Il regarda au loin, dans la nuit. «Il me faut affronter Vader.

– Je ne comprends pas, avoua Leia. Pourquoi?»

Luke se rapprocha d'elle et lui dit d'une voix tendre et grave : «Je vais te le dire, parce que… je pourrais ne pas revenir. Et tu es la seule en qui je puisse avoir confiance. Dark Vader est mon père.

– Ton père ?» Leia pâlit. Elle s'écarta de Luke. «Non, je ne le crois pas !» Cela ne pouvait être. Luke était un chevalier Jedi, une âme noble et courageuse. Il ne pouvait être le fils du monstre qui avait fait périr les siens. «Luke, il ne faut pas dire des choses pareilles. Tu dois vivre. Je fais mon possible pour aider l'Alliance, mais je ne suis rien, comparée à toi. Tu possèdes la Force, mes yeux en ont été témoins. La Rébellion a besoin de toi.

– Non, Leia, dit Luke d'une voix lasse. La Force est en toutes choses vivantes. La Rébellion durera bien après que j'aurai disparu.» Son visage exprimait un chagrin profond. Il paraissait soudain plus âgé.

«Je dois essayer de sauver mon père, dit-il. Je suis le seul qui le puisse.»

Leia ferma les yeux. Quand elle les rouvrit, ils étaient brillants de larmes. «Non, Luke, non ! C'est trop dangereux. Je préfère que tu fuies, loin, très loin ! Et comme j'aimerais partir avec toi…» Elle se tut, surprise de l'aveu que sa douleur lui avait arraché.

Luke secoua la tête. «Non, pas toi. Tu n'as jamais fauté. Tu as toujours été plus forte qu'aucun d'entre nous. Jamais tu ne fuiras. Et moi non plus. C'est mon père. Il y a encore du *bon* en lui. Je l'ai senti. Je ne me livrerai pas à l'Empereur. Je dois es-

sayer de le sauver. » Ils s'étreignirent un moment. « Au revoir, douce, douce Leia », murmura-t-il. Puis il disparut dans les bois qu'éclairait la lueur de la lune.

Luke ne tarda pas à tomber sur une patrouille de l'ennemi. Il se rendit à eux sans combattre, sachant qu'ils le conduiraient jusqu'à Dark Vader.

Dark Vader se tenait sur la plate-forme d'atterrissage de *L'Étoile de Mort*. Les gardes impériaux lui amenèrent Luke et lui rendirent son sabre, puis ils se retirèrent, les laissant seuls.

« L'Empereur t'attend, annonça le Lord Noir. Il est sûr que tu te rangeras de notre côté.

– Je sais... père », dit Luke. Il se demandait quel visage il y avait derrière ce masque terrifiant. « Ainsi tu reconnais enfin la vérité. »

Luke hocha la tête. « Je reconnais que tu es Anakin Skywalker, mon père.

– Ce nom ne signifie plus rien pour moi.

– Tu l'as seulement oublié, insista Luke. Je sais qu'il y a encore de la bonté en toi, sinon tu m'aurais déjà tué. Et je sais

aussi que tu ne me livreras pas à l'Empereur. Fuyons ensemble, père. » Il se rapprocha de Vader. *Il ne peut pas y avoir que du mal en lui,* pensait Luke. *Je le sentirais sinon.*

Vader actionna le sabre-laser de Luke et l'éleva entre eux. Il secoua la tête. Le sifflement de sa respiration résonnait dans le silence. Il dit enfin : « Tu ne connais pas le pouvoir du Mal. Je dois obéir à mon Maître. » Vader savait que, s'il le fallait, l'Empereur le sacrifierait sans pitié pour gagner son fils au parti de l'Ombre. Mais sa vie, son âme ne lui appartenaient plus depuis longtemps.

« Je n'accepterai jamais de me ranger à vos côtés, dit Luke. Tu devras me tuer.

– Si c'est là ton dernier mot... dit Vader d'une voix sans timbre.

– Cherche en toi, père ! s'écria Luke. Défais-toi de ta haine ! » Vader abaissa le sabre-laser et appela les gardes. « Mon fils, il est trop tard pour moi. »

Luke baissa la tête. Le conflit intérieur qu'il avait cru déceler chez son père n'était-il pas en fait que le reflet du sien ?

Anakin Skywalker serait donc mort à jamais ? se demanda-t-il avec désespoir.

Dark Vader lui ordonna de le suivre chez l'Empereur.

Le lendemain matin, le commando rebelle et les Ewoks gagnèrent sans se faire voir les abords du générateur impérial. Dissimulés derrière une crête, ils observèrent le bunker qui le protégeait et dont l'entrée était gardée par quatre éclaireurs. Yan et ses amis devaient d'abord neutraliser ces derniers, avant de s'attaquer au bunker. «Il n'y a que quatre gardes, dit Yan. C'est du gâteau !

– Il suffit d'un seul pour donner l'alarme», lui rappela Leia, qui n'avait pas oublié son attaque un peu trop téméraire de la veille. Yan sourit. «Ne t'inquiète pas. Nous allons nous débarrasser d'eux en douceur.»

Leia consulta sa montre. «Nous perdons du temps. La flotte rebelle s'est certainement mise en route dans l'hyper-espace à présent.»

Un cri d'alarme de Sixpeo les fit soudain sursauter. «Oh ! Maîtresse Leia ! J'ai bien peur que Kiecco ait commis une imprudence !

Ils regardèrent vers le bas de la colline et virent Kiecco, leur éclaireur Ewok, déboucher en courant du couvert, sauter sur l'une des motos impériales, et démarrer dans un vrombissement. Trois des gardes se précipitèrent vers leurs machines pour lui donner la chasse. Il ne restait plus qu'un seul ennemi.

Yan, Leia et Chewbacca n'en revenaient pas. «Pas mal pour une petite boule de laine», dit Yan avec admiration.

Kiecco entraîna ses poursuivants loin du bunker. Il s'enfonça profondément dans la forêt avant de sauter de sa moto et disparaître dans les broussailles. Les trois gardes ne risquaient plus de le rattraper.

Pendant ce temps, Yan et Chewie neutralisaient le garde. Leia les rejoignit, et ils scrutèrent l'entrée du bunker plongée dans l'ombre. Le lieu était désert, mais ils s'avancèrent avec précaution.

A bord de *L'Étoile de Mort,* Luke et Dark Vader entrèrent dans la salle du trône de l'Empereur. «Sois le bienvenu, jeune Skywalker, dit l'Empereur. Je t'attendais. Bientôt tu m'appelleras Maître, comme ton père.»

Luke lança un regard de défi à l'être grotesque et avachi sur son trône, qui avait corrompu son père. «Je ne me rangerai jamais à vos côtés. Je mourrai certainement, mais vous aussi.»

L'Empereur éclata d'un rire sinistre. «Qu'est-ce qui te fait croire cela? L'attaque imminente de la flotte rebelle? Elle ne peut rien contre nous.»

Luke s'efforça de dissimuler sa stupeur. Comment l'Empereur avait-il pu apprendre que l'Alliance allait attaquer? Il répliqua : «Votre excès de confiance vous perdra.

— C'est *vous* qui êtes trop confiant, Skywalker, rétorqua l'Empereur. Vos amis qui sont en ce moment sur Endor vont tomber dans un piège. Ils ne pourront jamais détruire le générateur d'énergie. Une légion impériale s'apprête à les accueillir.» Il désigna la planète Endor qu'on apercevait par la vaste baie de la salle.

A présent, Luke tremblait pour ses amis. Il coula un regard vers son sabre-laser, que Dark Vader avait remis à l'Empereur.

«Tout se passe comme je l'ai prévu, reprit l'Empereur avec un sourire satisfait. Le bouclier énergétique fonctionnera quand la flotte rebelle arrivera. Et ceci n'est qu'une partie de la surprise que je réserve à l'Alliance. Vous serez aux premières loges pour assister à sa destruction et à la fin de votre misérable Rébellion.» Il prit le sabre et le tendit à Luke. «C'est ça que vous voulez? Allez-y, prenez-le et tuez-moi. Laissez éclater votre colère. Plus vous aurez de haine, plus vous vous rapprocherez du côté de l'Ombre.»

Luke serrait les poings, se demandant désespérément ce qu'il devait faire. Tuer l'Empereur, pour sauver ses amis et tous les Rebelles ? Mais le frapper, c'était se mettre à la merci des forces du Mal... « Non, jamais », dit-il. Il ne succomberait pas comme son père l'avait fait ! « Vous vous rendrez, Skywalker. Tout comme votre père, c'est votre destinée que de m'appartenir. »

Luke, Vader et l'Empereur pouvaient voir à présent la flotte rebelle émerger de l'hyper-espace.

A bord du *Millennium Falcon,* Lando jeta un regard inquiet au tableau des commandes : apparemment le bouclier déflecteur fonctionnait toujours ! « Arrêtez ! ordonna-t-il à ses escadrons de chasseurs. Suspendez l'attaque ! » Ils ne pourraient atteindre *L'Étoile de Mort* tant que le champ protecteur ne serait pas coupé. Les chasseurs virèrent en catastrophe, évitant de peu la collision avec le mur invisible.

Au même moment, à bord du croiseur amiral rebelle, l'amiral Ackbar venait de faire une découverte encore plus alarmante. Toute la flotte impériale – des milliers de vaisseaux – surgissait derrière eux. Les mâchoires d'un piège mortel se refermaient sur les Rebelles. Ils étaient pris entre le bouclier énergétique et les forces ennemies. Si Yan et son commando ne parvenaient pas dans les minutes suivantes à détruire le générateur, ils allaient tous périr.

Pendant ce temps, Yan, Leia, Chewbacca et leurs hommes faisaient irruption dans la salle de contrôle du générateur et réduisaient rapidement la résistance des quelques gardes qui s'y trouvaient. Ils se mirent ensuite à poser tout autour de la salle des charges explosives capables de faire sauter le bunker.

Leia leva les yeux vers un écran au-dessus du panneau de contrôle. « Vite, Yan ! criat-elle. La flotte est attaquée ! »

Yan regarda à son tour. « Bon sang ! Avec le bouclier en place, ils sont acculés contre un mur.

– Tu l'as dit, crapule de Rebelle », lança une voix derrière eux.

Ils se retournèrent d'un bond. Des douzaines de gardes impériaux lourdement armés les entouraient.

L'Empereur, Dark Vader et Luke observaient les combats qui faisaient rage dans l'espace.

«Comme vous le voyez, mon jeune disciple, dit l'Empereur, vos amis ont échoué. Et maintenant vous allez pouvoir juger de la puissance de feu de *L'Étoile de Mort*.» Il posa le sabre de Luke sur un fauteuil : le jeune Jedi n'avait qu'un pas à faire pour s'en saisir.

Luke se détourna, figé d'horreur. Les Rebelles s'étaient fait piéger! L'armement de *L'Étoile de Mort* était pleinement opérationnel, même si le vaisseau n'était qu'à demi achevé.

Et maintenant, l'Empereur allait utiliser sa puissance terrifiante contre une flotte rebelle réduite à sa merci! Luke tourna son regard vers la baie juste au moment où un aveuglant rayon d'énergie jaillissait de *L'Étoile de Mort*. Le rayon pulvérisa un croiseur rebelle comme s'il n'avait été qu'un simple esquif.

Le *Millennium Falcon,* poursuivi par les chasseurs ennemis, s'éleva dans l'espace au-dessus du bouclier énergétique. Lando assista avec un mélange d'horreur et d'incrédulité à la destruction du croiseur. L'onde de choc provoquée par l'explosion était telle qu'elle parvint jusqu'à eux, secouant le vaisseau. «*L'Étoile* est opérationnelle! lança-t-il par radio.

– C'est ce que nous avons vu, répondit la

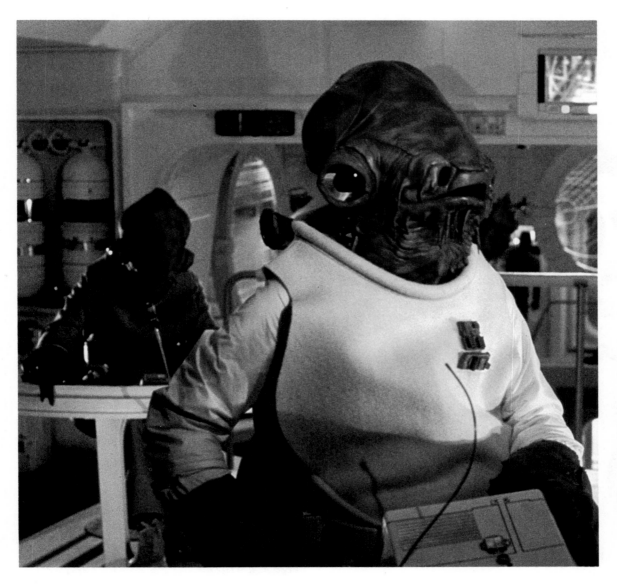

voix grave de l'amiral Ackbar. Que tous les vaisseaux battent en retraite !

– Amiral, Yan détruira le générateur d'un instant à l'autre, dit Lando. Il ne faut pas abandonner maintenant. Laissons-lui encore un peu de temps. Ordonnez à toutes les unités de se rapprocher de la flotte impériale. *L'Étoile de Mort* ne pourra plus alors tirer sur nous sans risquer de toucher ses propres vaisseaux.

– Vous avez raison, Lando, approuva l'amiral. Nous allons rester et combattre ! »

Seuls les ricanements de l'Empereur troublaient le silence de la salle du trône. « Votre flotte est perdue, dit-il à Luke, et vos amis vont tous mourir. Si jamais ils réussissaient à détruire le générateur, j'ai ordonné au commandant de *L'Étoile de Mort* de détruire Endor. »

Le regard de Luke étincelait de rage. Son sabre-laser se mit à vibrer sur le fauteuil tandis qu'il luttait intérieurement contre la tentation du Mal.

L'Empereur eut un sourire cruel. « Bien, murmura-t-il. Frappe-moi de toute ta haine, et tu rejoindras le côté de l'Ombre. »

Luke ne put se contenir plus longtemps. Le sabre vola jusqu'à lui. Mais comme il allait frapper l'Empereur, Dark Vader para son coup de son propre sabre. Luke dut

alors se retourner contre son père et enga-
ger le combat fatal.

Alors que les Impériaux entraînaient
Yan, Leia et Chewbacca hors du bunker,
ils se virent assaillis par Wicket et des cen-
taines d'Ewoks. Les Ewoks étaient minus-
cules et bien faibles comparés aux troupes
armées impériales. Ils n'avaient que des javelots et des armes primitives à opposer
aux lasers des gardes et des gigantesques
robots arpenteurs qui les accompagnaient.
Mais les petits êtres pelucheux savaient utiliser chaque pouce de terrain contre l'ennemi. Ils empêtraient les Impériaux dans
les ronciers, les attiraient dans des
chausse-trapes, les écrasaient sous des
pluies de bûches. À ce régime, les Impériaux ne luttèrent bientôt plus que pour défendre leurs vies.

Yan, Leia et Chewbacca profitèrent du tumulte pour échapper à leurs gardes. Yan fit signe à D Deux et Sixpeo de le suivre, et, avec Leia, il s'élança en courant vers la lourde porte blindée du bunker que les Impériaux avaient refermée. Seul D Deux était capable de l'ouvrir. Mais D Deux fut touché par une explosion. Tandis que Sixpeo s'empressait auprès de son compagnon, Yan se précipita vers le panneau qui contrôlait la porte. « J'arriverai bien à court-circuiter cette saleté », grogna-t-il avec désespoir.

Dans la salle du trône, Luke et son père s'affrontaient devant l'Empereur en un

combat terrible. Les pouvoirs de Luke étaient maintenant aussi grands et tout aussi terrifiants que ceux de son père. À la fin, Dark Vader trébucha et son arme lui échappa. Luke se jeta sur lui, le sabre levé.

« Frappe ! siffla l'Empereur. Laisse éclater ta haine ! »

Luke suspendit son geste et regarda l'Empereur, comprenant brusquement dans quel piège il allait tomber. L'Empereur voulait qu'il tuât son propre père. Alors cet acte impardonnable l'enchaînerait à jamais aux forces du Mal. Luke rabaissa son arme.

Vader se releva et, de nouveau, attaqua Luke, le forçant à se défendre. Luke s'abrita derrière le trône de l'Empereur.

« Je ne te combattrai pas, père. Prends mon arme. » Il jeta son sabre sur le sol.

« Je ne crois pas que tu me tueras. »

Vader ramassa le sabre de Luke. « Rends-toi au côté de l'Ombre, Luke, dit-il. C'est la seule façon de sauver tes amis. Ton affection pour eux est grande, surtout pour... Leia ! Tu l'aimes. Qu'est-ce qui te fait croire qu'elle ne se rangera pas de notre côté, une fois qu'elle sera entre nos mains ? » Il connaissait les sentiments de son fils. Il savait comment susciter en lui la colère et la crainte.

« Jamais ! » cria Luke. Son sabre jaillit de nouveau dans sa main, et il attaqua son père avec plus d'ardeur que jamais. Les étincelles volaient et l'air crépitait d'énergie. Luke toucha Vader à la main, lui arrachant son sabre qui alla choir au milieu de la salle. Luke vit la main blessée de son père – une main artificielle comme la sienne. *Je suis en train de devenir comme*

lui, pensa-t-il. Il appuya la pointe de son sabre sur la gorge de son père.

L'Empereur observait la scène d'un regard avide. « Bien, tue-le maintenant. Prends sa place à mon côté. »

Luke regarda l'Empereur, puis son père. Il fit alors le choix auquel il s'était préparé toute sa vie. « Non, dit-il. Je ne ferai jamais le mal. Vous avez échoué, Majesté. Je suis un Jedi, comme mon père le fut avant moi. »

Le visage de l'Empereur se tordit de rage. « Puisqu'il en est ainsi, gronda-t-il, tu mourras ! »

D'aveuglants éclairs d'énergie jaillirent de ses mains et Luke s'effondra sur le sol.

Dark Vader, tel un animal blessé, se mit à ramper vers l'Empereur.

« Arrêtez ! Pas un geste ! » Cinq Impériaux apparurent à l'entrée du bunker où Yan et Leia s'activaient fiévreusement sur le panneau de contrôle. Les deux Rebelles se figèrent en se voyant encerclés. Non loin, les Ewoks continuaient de se battre contre l'ennemi, mais pour les deux Rebelles la guerre était finie, et ils l'avaient perdue.

« Vous savez que je vous aime », dit Yan, regrettant de ne pas l'avoir dit un millier de fois plus tôt. Leia hocha la tête, ses yeux emplis de tendresse et d'amour. Puis ils virevoltèrent sur eux-mêmes en dégainant leurs pistolets-lasers et firent feu en même temps.

Par Dieu sait quel miracle, ils parvinrent à toucher les cinq Impériaux, mais l'un d'eux, en s'abattant, déchargea son arme et blessa Leia. Yan se penchait vers elle, quand un bruit de pas lui fit lever la tête. Un gigantesque arpenteur impérial se dressait devant eux, son arme pointée. Yan se jeta sur Leia pour la protéger de son corps, mais la tourelle du tank-marcheur s'ouvrit et la tête de Chewbacca en sortit.

Yan n'avait jamais été aussi heureux de revoir son copilote. « Formidable ! cria t-il. Fais-moi sauter cette porte ! »

Luke gisait immobile sur le sol. L'Empereur arborait un sourire triomphal. Il était sûr que le chevalier Jedi était mort. « Jeune crétin ! siffla-t-il. Tu n'étais pas de taille à te mesurer au pouvoir de l'Ombre. Tu as payé pour n'avoir pas compris cela. » Il se leva de son trône et s'approcha du corps de Luke.

Soudain Luke bondit sur ses pieds et saisit l'Empereur par-derrière. L'Empereur se débattit. De ses mains jaillissaient des rayons meurtriers, mais ils ne pouvaient atteindre Luke qui maintenait sa prise avec l'énergie du désespoir. Une décharge foudroyante toucha cependant Dark Vader, s'abattant sur sa cape noire en une gerbe d'étincelles.

Rassemblant ses dernières forces, Luke entraîna l'Empereur jusqu'au bord du vaste entonnoir qui débouchait dans la salle et le poussa dans le vide. Le corps de l'Empereur explosa en s'écrasant au fond.

Blessé par la terrible décharge, Dark Vader titubait au bord du puits. Luke le tira en arrière, et le père et le fils s'effondrèrent sur le sol l'un à côté de l'autre, trop épuisés pour se relever.

Dans l'espace, Lando vit l'image du bouclier protecteur disparaître brusquement de l'écran de son ordinateur. «Le champ est coupé! Groupe Rouge, Groupe Doré, suivez-moi. Nous allons attaquer le réacteur central de *L'Étoile de Mort*.» Il adressa un grand sourire à son copilote. «Je te l'avais dit qu'ils réussiraient!»

Les chasseurs de Lando et la flotte rebelle fondirent tel un essaim de frelons sur *L'Étoile de Mort*. Leurs batteries se mirent à pilonner le gigantesque vaisseau, provoquant explosion sur explosion.

A bord de *L'Étoile de Mort,* la panique régnait, et les troupes impériales couraient frénétiquement dans toutes les directions. Les coursives tremblaient et grondaient sous les chocs. Les flammes s'élevaient de tous côtés. Pendant ce temps, sur l'aire d'atterrissage, Luke traînait le grand corps de Vader, trop affaibli pour marcher, vers une navette impériale. Mais ses forces l'abandonnèrent bientôt, et il s'affala de nouveau à côté de son père.

«Pars, mon fils, murmura Vader. Va, laisse-moi.

– Non, dit Luke. Je te sauverai!

– Tu l'as déjà fait, Luke.»

Luke secoua la tête. «Père, je ne t'abandonnerai pas.» Sa voix tremblait. Les explosions se rapprochaient. Dark Vader l'attira vers lui. «Luke, aide-moi à enlever ce casque.

– Tu mourras si tu l'enlèves, protesta Luke.

– Je vais mourir de toute façon. Mais je veux, au moins une fois, te regarder sans ce masque. Laisse-moi te voir avec mes yeux.»

Lentement, doucement, Luke ôta le heaume de cuir et de métal qui coiffait la tête de son père. Un visage de mutant horriblement mutilé apparut. Il n'avait plus rien d'humain. Luke détourna son regard. Révolté, il jeta au loin le casque. «Il est trop tard pour moi, Luke, trop tard! haleta son père. Je veux mourir. Je ne saurais vivre dans ton monde… Sauve-toi toi-même!» Sa tête retomba, inerte. Dark Vader, Anakin Skywalker… le père de Luke, était mort.

Une énorme explosion secoua *L'Étoile de Mort*. Luke se remit péniblement debout et se traîna vers la navette.

Le *Millennium Falcon* volait de toute sa vitesse au-dessus de *L'Étoile de Mort*. Il volait en direction du seul point d'où il pourrait tirer un missile et frapper le réacteur principal du vaisseau. Ses chasseurs l'encadraient, écartant l'ennemi. Le *Falcon* poursuivit son vol en rase-mottes, jusqu'à ce qu'il parvînt en vue de sa cible. «Tir direct!» s'écria Lando, libérant ses missiles. Le *Millennium Falcon* amorça une montée verticale pour s'éloigner de *L'Étoile de Mort*. Lando n'avait plus que quelques secondes pour fuir avant l'explosion! Mais son vaisseau était rapide : quelques secondes, cela lui suffisait.

Juste au-dessus de lui, alors qu'il rejoignait la flotte rebelle, une navette impériale filait dans la même direction. Luke Skywalker était aux commandes.

Sur Endor, Yan, Leia et leurs amis virent l'espace s'embraser d'une gigantesque lueur. *L'Étoile de Mort* venait d'exploser. Ils surent alors que les Rebelles avaient gagné.

Tard cette nuit-là, une grande fête se tint au village des Ewoks. Chacun dansait, riait et chantait, heureux de célébrer la victoire de l'Alliance.

Un peu à l'écart de la place du village qu'illuminaient les feux de camp, Leia, Yan, Chewbacca, ainsi que D Deux et Sixpeo, attendaient Luke et Lando. Ce dernier, accompagné de deux pilotes, apparut enfin sur le sentier forestier qui conduisait au village. Mais Luke arriva seul, par une autre direction. Tous leurs amis accoururent à leur rencontre. Ils se congratulèrent avec émotion. Ils avaient traversé ensemble de longues et dures épreuves, mais elles les avaient menés à la victoire.

Seul Luke avait du mal à partager la joie des autres. Il contemplait silencieusement la forêt, ne pouvant oublier tout ce qu'il avait souffert ce jour-là. Il se demandait s'il n'aurait pas dû intervenir plus tôt pour aider son père. Il se le demanderait toujours, de même qu'il n'oublierait jamais l'horrible visage de mutant, aussi longtemps qu'il vivrait.

Leia s'approcha doucement de lui. Elle lui prit la main et l'entraîna avec elle vers les autres et le cercle chaleureux de leur amour.